Dados Internacionais De Catalogação Na Publicação (CIP)
(Câmara Brasileira Do Livro, SP, Brasil)

Sousa, Mauricio de
  Turma da Mônica: Alice no País das Maravilhas/
[adaptador] Mauricio de Sousa, Lewis Carroll ;
[tradução Márcia Lígia Guidin]. -- 1. ed. --
Barueri : Girassol Brasil, 2017.

  Título original: Alice's adventures in wonderland
  ISBN 978-85-394-2128-2

  1. Carroll, Lewis, 1832-1898 2. Ficção -
Literatura infantojuvenil I. Título.

17-04955   CDD-028.5

Índices para catálogo sistemático:
1. Literatura infantil 028.5
2. Literatura infantojuvenil 028.5

GIRASSOL BRASIL EDIÇÕES EIRELI
CNPJ: 00.845.926/0001-88
Al. Madeira, 162 - 17º andar - Sala 1702
Alphaville - Barueri - SP - 06454-010
leitor@girassolbrasil.com.br
www.girassolbrasil.com.br

Direção Editorial: Karine Gonçalves Pansa
Coordenadora Editorial: Carolina Cespedes
Editora Assistente: Ana Paula Uchoa
Assistente Editorial: Carla Sacrato
Tradução e Adaptação: Márcia Lígia Guidin

Direitos desta edição no Brasil reservados
à Girassol Brasil Edições Eireli
Impresso no Brasil

Estúdios Mauricio de Sousa

Presidente: Mauricio de Sousa

Diretoria: Alice Keico Takeda, Mauro Takeda e Sousa, Mônica S. e Sousa

Mauricio de Sousa é membro
da Academia Paulista de Letras (APL)

Diretora Executiva
Alice Keico Takeda

Direção de Arte
Wagner Bonilla

Diretor de Licenciamento
Rodrigo Paiva

Coordenadora Comercial
Tatiane Comlosi

Analista Comercial
Alexandra Paulista

Editor
Sidney Gusman

Adaptação de Textos e Layout
Robson Barreto de Lacerda

Revisão
Ivana Mello

Editor de Arte
Mauro Souza

Coordenação de Arte
Irene Dellega, Maria A. Rabello, Nilza Faustino

Produtora Editorial Jr.
Regiane Moreira

Desenho
Anderson Nunes

Cor
Marcelo Conquista, Mauro Souza

Designer Gráfico e Diagramação
Mariangela Saraiva Ferradás

Supervisão de Conteúdo
Marina Takeda e Sousa

Supervisão Geral
Mauricio de Sousa

Condomínio E-Business Park - Rua Werner Von Siemens, 111
Prédio 19 – Espaço 01 - Lapa de Baixo – São Paulo/SP
CEP: 05069-010 - TEL.: +55 11 3613-5000

© 2017 Mauricio de Sousa e Mauricio de Sousa Editora Ltda.
Todos os direitos reservados.
www.turmadamonica.com.br

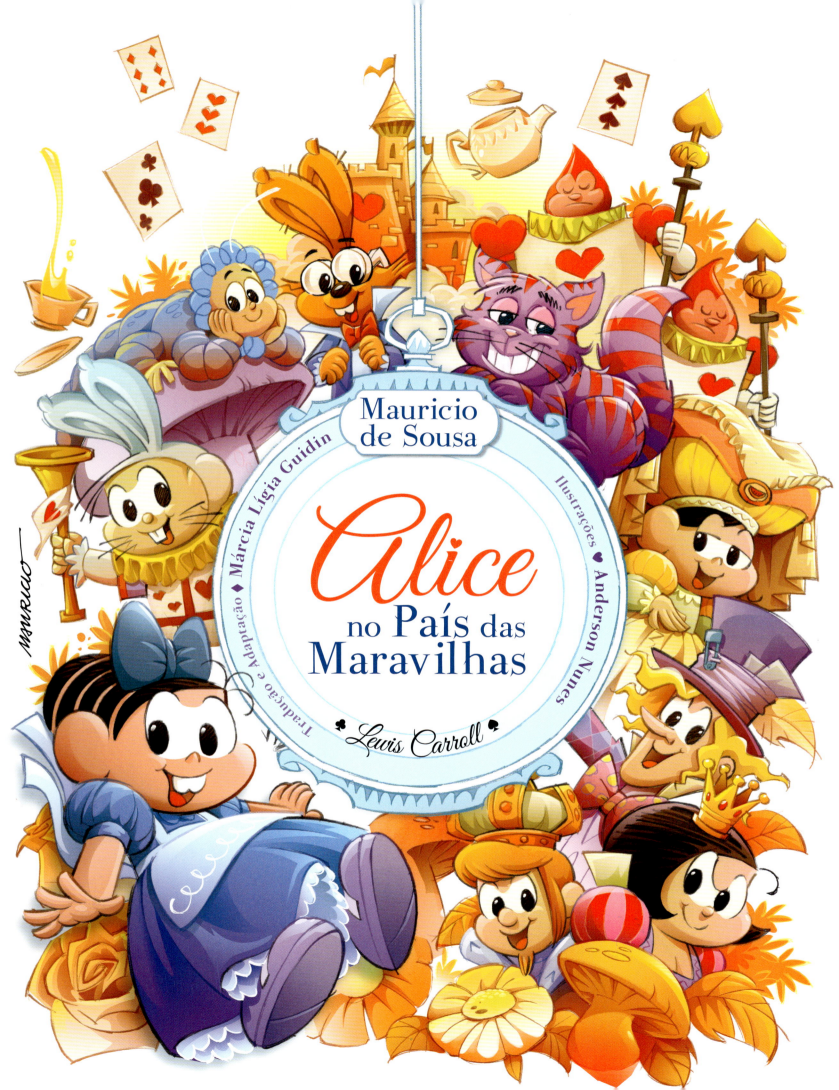

Sumário

Na toca do Coelho 7

Um lago de lágrimas 12

Uma turma molhada e muita besteira 18

Na casa do Coelho Branco alguém vai se dar mal 22

Os conselhos da Lagarta 28

Muita pimenta e um porco 34

Um chá muito maluco 40

O campo de croqué da Rainha 46

A história da Falsa Tartaruga 54

A Dança das Lagostas 60

Quem roubou as tortas? 66

O depoimento de Alice 74

Um clássico reinterpretado pela Turminha

Não foram poucas as vezes em que meus personagens fizeram paródias de *Alice no País das Maravilhas*, um dos maiores clássicos da literatura infantil, escrito por Lewis Carroll (pseudônimo do inglês Charles Lutwidge Dodgson) e publicado em 1865. E isso aconteceu tanto nos quadrinhos, quanto nos livros ilustrados.

Mas para este projeto o desafio era diferente. E muito mais ousado. Desta vez, a Editora Girassol nos propôs ilustrar, com os personagens da Turma da Mônica, o texto original da obra, numa versão assinada pela ensaísta e tradutora Márcia Lígia Guidin.

E eu, claro, adorei a ideia!

Assim, depois de recebido o texto, o passo seguinte foi escalar o "elenco" que comporia o livro. Ou seja, que personagem meu interpretaria os da obra original. E essa parte é muito gostosa de fazer, pois se torna um exercício de criatividade para a nossa equipe. E o melhor: podemos misturar integrantes de várias turmas, como Mônica, Cebolinha, Rolo, Pipa, Louco e outros.

Após definirmos quem ficaria com que "papel" na obra, escalamos Anderson Nunes, talentoso ilustrador que trabalha para o nosso estúdio há alguns anos, para reinterpretar os diversos momentos marcantes (e cheios de maluquices) retratados no texto. Além de fazer enquadramentos tão bonitos quanto inusitados, seu traço imprimiu aos personagens todos os movimentos que as cenas "pediam". E as cores, feitas pelo pessoal do nosso estúdio, deram o toque final – e de gala – que este livro merece.

Para mim e para toda a turminha do bairro do Limoeiro, foi uma honra oferecer uma nova roupagem (bem ao nosso estilo) para uma obra tão clássica. Fizemos tudo com aquele carinho que nossos leitores conhecem há tanto tempo, para que a sua experiência seja, literalmente, uma maravilha.

1 Na toca do Coelho

Alice estava cansada de ficar à toa, na beira do rio, só ouvindo as histórias que sua irmã lia. Estava muito calor, que chato.

De repente, um Coelho Branco com olhos cor-de-rosa passou correndo bem à sua frente. Ela não achou aquilo muito estranho. Então, o Coelho falou:

– Ai, meu Deus, estou atrasado, muito atrasado!

Um coelho apressado, de colete, olhando as horas no relógio de bolso? Aquilo, sim, era bem esquisito. Ela ficou olhando e viu quando ele entrou numa toca logo mais à frente. Levantou-se depressa e saiu correndo atrás dele. Alice pulou e, já dentro da toca, percebeu que caía numa espécie de poço.

Puxa, aquele poço devia ser muito fundo, porque ela estava descendo devagar, muito devagar, flutuando...

Caminho abaixo, tudo parecia um pouco estranho. Alice viu, nas paredes do tal buraco, umas prateleiras cheias de louças, bules, xícaras, livros, mapas e potes. Curiosa, esticou a mão e agarrou um dos potes em que estava escrito: Geleia de Laranja. Tirou a tampa, pensou em comer a geleia... Mas estava vazio!

Então, com medo de o pote cair e machucar alguém, colocou-o numa prateleira mais abaixo enquanto passava, descendo. E continuou a cair, cair, cair...

"Isto não vai terminar nunca? Acho que já desci muitos quilômetros...", pensou ela. "Ai, ai, será que já atravessei a Terra pelo meio e vou sair em outro país, lá do outro lado? Seria engraçado cair em algum lugar e perguntar: 'Senhor, qual país é este, por favor?'"

E descia, descia, descia... Então, lembrou: "Minha gatinha Diná vai ficar com saudade de mim se eu demorar muito. Tomara que alguém dê leite para ela".

Como não parava de descer, Alice começou a ficar com sono (até que era gostoso). Então, de repente, caiu sentada num monte de galhos e folhas secas. Por sorte, a menina não se machucou. Levantou-se, deu uma limpada na saia e viu que estava bem escuro. Mas, lá longe, no fim de um túnel, não é que enxergou novamente o Coelho Branco? Ele continuava a correr, dizendo:

– É tarde! É tarde!

E correu rapidamente atrás dele, mas, em uma curva do caminho, ele desapareceu de novo. "Muito esquisito", pensou ela, olhando em volta.

Alice, então, percebeu que estava numa grande sala, toda iluminada, cheia de portas por todos os lados. Em seguida, tentou abrir uma por uma: todas trancadas! Como sairia dali?

Foi quando ela avistou uma chave dourada sobre uma mesinha de vidro de três pés. "Tenho certeza de que esta chave não estava aqui antes...", murmurou para si mesma. "Que estranho...".

Com a chave, tentou abrir as portas, mas ela não serviu em nenhuma. De repente, viu que, atrás de uma cortina, havia outra portinha, muito pequena, parecia uma toca de rato. E não é que a chave dourada deu certinho nela?

Quase deitada de lado, Alice espiou pelo buraco da fechadura e, com um olho só, viu um lindo jardim. Mas, coitada, como faria para chegar até lá? Ela nunca passaria por aquela portinha minúscula...

De repente, do nada, enxergou uma garrafinha em que estava escrito: "BEBA–ME". É claro que ela não ia beber nada sem saber o que era. Pensou, pensou, mas, como também não estava escrito "VENENO", ela provou um pouquinho, e era bem gostoso. Então... Tomou tudo!

– Que esquisito, parece que estou encolhendo – percebeu, um pouco preocupada (e estava mesmo!).

Alice foi diminuindo, diminuindo, até ficar com um palmo de altura. Ficou torcendo para diminuir mais ainda, assim conseguiria passar pela portinha. "Mas... mas e se não der certo? E se eu encolher demais até ficar como uma vela derretida, só com o pavio?", pensou.

Quando parou de diminuir, viu que deu certo, daria para passar. Mas onde estava a chave dourada para abrir a portinha? Puxa, que coisa! Tinha ficado em cima da mesa (agora que estava tão pequena, como iria pegá-la?). Tentou de tudo: subir, pular, escalar a cadeira. Nada. Tão cansada ficou que se sentou no chão e chorou, chorou, chorou.

– "Pare de chorar, Alice!" – disse, bem alto para si mesma – "Pare já!". (Ela, às vezes, dava broncas em si mesma: gostava de fingir que era duas Alices diferentes. Até quando jogava sozinha, dava-se uma bronca, caso quisesse trapacear...).

Enxugou os olhos e, nesse momento, viu uma caixinha de vidro debaixo da grande mesa (será que já estava lá?). Dentro havia um delicioso e perfumado pedaço de bolo, com um bilhete escrito com passas pretas: "COMA-ME". "Quem sabe, comendo-o, eu cresça outra vez; ou diminua tanto que consiga passar por debaixo da porta", ponderou. De um jeito ou de outro, poderia resolver o problema. Algo com certeza ia acontecer. "Afinal", pensou, "tudo já está tão estranho hoje..."

"E aí, vou crescer ou diminuir? Vou para cima ou para baixo?" Desta vez, porém, nada aconteceu. (Na verdade, quando se come bolo, nada costuma acontecer mesmo.)

Assim, vendo que não tinha crescido nem sumido, Alice saciou sua fome devorando todo o pedaço de bolo.

2 Um lago de lágrimas

— Estranhíssimo! – exclamou Alice. – Agora estou espichando demais! Adeus, pés, adeus, meias... – gritou, olhando para os sapatos lá longe. Ela cresceu tanto, que sua cabeça bateu no teto da sala. Nossa! Devia estar com quase três metros de altura!

Pegou depressa a chave e correu para abrir a portinha. Mas, nunca, jamais (assim tão alta) conseguiria passar por aquele buraco que ia dar no jardim depois da portinha. Então, chorou, chorou, chorou.

— Pare de chorar, Alice! – voltou a dizer para si mesma.

Mas não adiantou. Chorou tanto que suas lágrimas gigantes formaram um lago que cobriu metade do chão da sala.

De repente, Alice ouviu um ruído; enxugou rapidamente as lágrimas para ver o que era. Pois não era o Coelho outra vez? Agora estava elegantíssimo, com luvas brancas e um grande leque nas mãos. Porém, continuava apressado, falando sozinho:

— Estou atrasado. Estou atrasado... A Duquesa vai ficar furiosa se tiver de me esperar!

Bem, mesmo achando aquele coelho branco meio maluco, ela precisava de ajuda. Então, quando ele passou por perto, Alice disse:

— Por favor... Senhor Coe...

O Coelho ficou tão assustado, que na hora deixou cair o leque e as luvas (de pelica) e saiu correndo o mais depressa que pôde.

– Ai, meu Deus – constatou Alice, abanando-se com o leque do Coelho.

("Tudo está muito esquisito hoje"). Pensou: "Ontem estava tudo tão normal... Será que hoje **eu** não sou eu, e sou outra menina? Mas se eu não sou a Alice, quem sou eu, então?"

Começou a pensar em todas as amigas da escola. Será que tinha sido trocada? Começou a testar sua memória com coisas que aprendera: Londres é a capital de Paris? Paris é a capital de Roma?

– Não, não, está tudo errado – exclamou, chorosa. – Será que fui trocada pela Mabel? (Mabel era um tanto distraída.)

De repente, Alice olhou para as mãos e percebeu que havia calçado as luvas brancas do Coelho. "Ué, como elas couberam na minha mão?", reparou. "Será que estou encolhendo de novo?"

Pois estava mesmo encolhendo: devia ter agora uns sessenta centímetros de altura. "Como assim? Só pode ser por causa deste leque!", espantou-se. Então, o largou depressa, com medo de desaparecer de vez.

Mas, quando lembrou que a chave da porta para o jardim estava sobre a mesa (e ela estava bem menor que antes), ficou muito, muito brava e explodiu:

– **Isto é um absurdo!** – gritou, com lágrimas nos olhos.

Mal acabara de falar, escorregou e, *ploft*, caiu dentro da água salgada. Não, não era o mar, era um lago das lágrimas... Tudo o que ela havia chorado quando estava gigante.

– Caramba, por que eu chorei tanto? – percebeu, finalmente.

Saiu nadando, tentando achar uma praia, qualquer coisa. "Será que vou me afogar nas minhas próprias lágrimas?", pensou. (Seria punida por chorar? Isso, sim, seria muito ridículo.)

Aí, viu algo enorme, nadando à sua frente. Era um hipopótamo? Não era. Como ela estava bem pequena, o que parecia gigante era apenas um rato. Como ratos não dão medo (mesmo gigantes), resolveu falar com ele:

– Ó, Rato, por favor, pode me ajudar a sair deste lago?

Silêncio. Nenhuma resposta.

"Acho que ele não fala português", pensou. "Talvez seja algum rato inglês, que chegou em um navio de carga. Então, lembrando das aulas, caprichou em inglês:

– **I have a cat.** (Essa era a primeira frase da sua lição.).

O bicho imediatamente saltou da água, assustadíssimo. Percebendo a gafe, Alice se desculpou, educada:

– Desculpe, desculpe. Esqueci que ratos não gostam de gatos. Mas se você conhecesse minha linda gatinha Diná...

Ele então abriu a boca e respondeu, muito ofendido:

– Quem gosta de gatos, menina? Você gostaria de gatos se fosse eu? Na minha família, nem se fala essa palavra! Gatos são vulgares, sujos e feios.

Ela se desculpou mais uma vez, e o Rato resolveu ajudar. Levou Alice para a margem. (Enquanto nadavam, prometeu contar a ela **por que** odiava gatos.)

De qualquer forma, já era hora de sair, porque o lago começou a ficar muito cheio de insetos, pássaros e outros bichos, que também haviam caído n'água. Havia um pato, um dodô, uma águia, um papagaio e outras estranhas criaturas. Alice, já sem as luvas, e o Rato foram na frente, e todos os outros seguiram atrás.

3 Uma turma molhada e muita besteira

Era meio ridículo ver aquela turma junta e toda ensopada: tantas penas e pelos molhados, colados no corpo, assim como a saia rodada de Alice. Todos começaram a falar ao mesmo tempo, até que resolveram fazer uma reunião de emergência para saber como iriam se secar.

Um papagaio, que dizia ser o mais velho da turma (por isso, devia ser ouvido), batia boca com Alice (ela disse que não sabia a idade dele, e como ele não queria contar, ela achou que ele não era de confiança). O Pato, o Periquito, o filhote de Águia, todos falavam ao mesmo tempo. Cada um dizia uma coisa e, de repente, Alice percebeu que discutia com eles como se fossem velhos conhecidos da vida toda. Achou aquilo esquisito, mas engraçado.

O Rato, que parecia ter certa autoridade no grupo, disse:

– Sentem-se todos já! Vou contar uma história para vocês e todos ficarão secos.

E começou a contar uma longa história de reis...

Alice, com frio, declarou:

– Ainda estou supermolhada. Isto não está dando certo! (Como alguém pode secar-se só ouvindo uma história?)

Então, o Dodô deu outra ideia:

– Amigos, por que não apostamos corrida correndo em círculos? No fim, estaremos secos e teremos um vencedor.

Assim fizeram; mas, como corriam em roda, e cada um entrava na hora que queria, saía e voltava, ninguém sabia ao certo onde era o ponto de chegada. Ficaram correndo por mais de meia hora, até que o Dodô anunciou:

– A corrida terminou.

É claro que nessa hora todos já estavam secos. Por trás do burburinho, porém, alguém (esbaforido) perguntou:

– E aí, quem ganhou a corrida?

O Dodô ficou pensando, pensando... Como não conseguiu responder, declarou que **todos** tinham vencido e todos ganhariam um prêmio.

– E quem vai entregar os prêmios? – várias vozes perguntaram simultaneamente.

– Ela, é claro! – o Dodô apontou a asa para Alice, enquanto os demais se amontoaram em torno dela, gritando:

– Queremos prêmios! Queremos prêmios!

Sem saber o que fazer, Alice tirou do bolso uma latinha de balas (que, felizmente, não tinha ficado molhada) e distribuiu uma para cada um.

O Rato, então, declarou que ela também deveria ganhar um prêmio. O Dodô imediatamente concordou:

– E o que mais você tem no bolso?

– Apenas um dedal – respondeu Alice, um tanto chateada.

– Então, dê esse dedal para mim – pediu o Dodô.

Em seguida, todos se juntaram em torno dela, e o Dodô, ajoelhado, exclamou com voz grave:

– Rogamos a Vossa Excelência que aceite este elegante dedal.

Ganhar o seu próprio dedal? Alice achou aquilo muito ridículo. Mas, como ninguém estava rindo, resolveu ficar séria; curvou-se elegantemente e agradeceu.

O próximo passo foi comer as balas. Mas isso deu uma certa confusão. Os grandes reclamaram que a bala desceu reto, e não sentiram seu gosto; os pequenos engasgaram e tiveram de levar muitos tapas nas costas.

A seguir, a pedidos, o Rato começou a contar a sua história. Sentaram-se juntos em uma roda, e ele começou:

– Um cão estava no banco...

– O cão tem conta no banco? Como? – perguntou Alice, não conseguindo entender a lógica daquilo.

– Menina, eu falei banco de jardim. Você fala muita besteira. Estou muito ofendido. Adeus a todos, vou embora! – E afastou-se arrastando o rabo.

–Volte, senhor Rato, volte – pediu inutilmente o Papagaio.

Alice, então, suspirou:

– Que saudade da Diná. Aposto que ela logo traria esse Rato de volta.

– Quem é a Diná, que mal lhe pergunte, menina? Do que está falando? – interrogou uma Carangueja velha.

– A Diná é a minha gata. Precisa ver como ela é linda e esperta. Consegue caçar ratos e pega pássaros num bote só...

Oh! Houve um silêncio mortal... Foram todos saindo de fininho, e Alice ficou sozinha outra vez. Lembrando-se da sua gata de estimação, Alice começou a chorar baixinho, até que ouviu passos.

# 4 Na casa do Coelho Branco alguém vai se dar mal

Era o Coelho, que agora andava devagar. Mas continuava a dizer coisas estranhas, que não faziam sentido:

– Ai, ai, a Duquesa. Ai, ai, pelos meus bigodes. Com certeza, vou ser executado. Ela vai mandar arrancar minhas patas e fazer chaveiros para dar de presente… Ai, ai, onde será que deixei minhas… (Provavelmente, ele estava procurando suas luvas.)

Tentando ajudar o Coelho Branco, Alice viu, meio espantada, que a mesa de vidro e a portinha haviam desaparecido. Agora lá havia uma casinha bem bonita e na caixa de correspondência se lia: "COELHO BRANCO".

O Coelho então a viu e exclamou, muito bravo:

– O que você está fazendo aqui, Ana Maria? Vá imediatamente lá dentro buscar o meu par de luvas e o leque.

Ele a confundira com a empregada, claro, mas, ainda assim, Alice obedeceu. (Por um minuto, ela achou esquisito receber ordens de um coelho.)

Subiu a escada e, perto do criado-mudo, alcançou um par de luvas (havia várias luvinhas brancas) e o leque. Ao sair, porém, viu uma garrafinha perto do espelho. Não tinha nada escrito; e, como não aguentava mais estar tão pequena, resolveu arriscar. Quem sabe cresceria bebendo aquilo?

Não deu outra. Ela cresceu, mas cresceu tanto que teve de baixar a cabeça, pois batia no teto. Continuou crescendo. "Ai, meu Deus", pensou ela. Esticou o braço gigante pela janela e… ficou entalada.

Estava bem complicada a situação. "Ai, ai, por que, naquela manhã, tinha sido tola de entrar na toca do Coelho? Por outro lado", pensou, "estas aventuras parecem mais interessantes que contos de fadas". E decidiu: "Aliás, acho até que vou escrever um livro quando eu crescer. Mas, caramba, eu já cresci muito. Será que vou ficar assim para sempre, será que não vou ficar velha?" Será, será?

– Deixe de falar besteira, Alice! – exclamou, brigando consigo mesma.

E, então, ouviu a voz do Coelho:

– Ana Maria, traga já as minhas luvas! – E tentou entrar na casa.

O Coelho, claro, não conseguiu abrir a porta, pois o enorme cotovelo de Alice estava travando a entrada. Tentou, então, entrar pela janela, quando alguém gritou com uma voz bem fininha:

– Tem um braço saindo pela janela!

Alice abria e fechava a mão, do lado de fora da casa, e começou a ficar inquieta: "Como vou sair daqui com este tamanho?"

O Coelho gritava:

– Venha aqui, Bill. Traga uma escada. Agora! Venha, Bill, você vai ter de me ajudar.

"Quem seria o Bill?", pensava Alice. "Coitado, parece que ele tem muito trabalho. Mas se alguém descer pela lareira, eu vou chutar" (o pé de Alice estava bem na lareira). Logo a seguir, ouviu um arranhão (deve ser o Bill) e deu um chute com a ponta do pé. Então, ouviu um guincho agudo (deve ser o Bill) e lá se foi um lagarto voando bem longe pela chaminé (esse era o Bill).

– Nossa... O que houve? N-ã-o sei o que me aconteceu... Alguma coisa me chutou e eu saí voando... – disse Bill para o Coelho.

– Vamos botar fogo na casa – gritou o Coelho, ignorando o pobre coitado.

Alice ouviu e gritou bem alto:

– Se fizerem isso, vou chamar a Diná! Vocês vão ver!

Silêncio... Mais silêncio.

Em seguida, começaram a atirar uma chuva de pedrinhas nela. Algumas até machucavam. Mas, quando viu que as pedras se transformavam em bolinhos de chuva ao cair, teve nova ideia: se comesse alguns, talvez encolhesse de novo. (Porque crescer mais... Nem pensar.)

E não é que deu certo outra vez? Quando ficou pequena (com uns oito centímetros), correu porta afora. E viu um monte de bichos cuidando do pobre Bill. Quando a viram, começaram a correr atrás dela.

Alice correu o mais que pôde e entrou num bosque. Até que viu um filhote de cão. Ele era muito bonitinho, mas Alice estava tão pequena que ele poderia querer (digamos) comê-la... Precisava voltar ao normal, e rápido!

Para isso (como esse dia estava maluco!), deveria por certo beber ou comer algo. Plantas, galhos? Não encontrou nada, nem um biscoito, nem uma bebida... Continuou procurando, e nada. Até que deu de cara com uma lagarta azul, sentada tranquilamente no alto de um cogumelo, fumando um narguilé, sem dar a mínima bola para o que acontecia à sua volta.

5 Os conselhos da Lagarta

Alice e a Lagarta se olharam por alguns minutos. Então a Lagarta, com voz lenta e preguiçosa, perguntou:

– ... Quem é você?

– Ai, Dona Lagarta, eu não sei mais. Nesta manhã, eu era Alice. Mas aconteceu tanta coisa, eu cresci, encolhi, corri, me perdi. Num dia só, eu já mudei de tamanho um monte de vezes.

– Por quê? – perguntou a Lagarta.

– Não sei.

– Então, quem é você?

– Não sei, não consigo explicar.

– Por quê?

– Por que o quê, senhora Lagarta? – Alice se irritou. – A senhora acha legal ter oito centímetros de altura?

– Claro que sim! – respondeu bem ríspida a Lagarta, que media exatamente oito centímetros de altura.

A menina estava achando aquela conversa muito maluca e, chateada, resolveu ir embora daquele lugar.

– Volte, volte aqui – pediu a Lagarta, entre uma baforada e outra. – Tenho de perguntar uma coisa.

– Que coisa? – perguntou Alice, com alguma esperança de lógica.

– Sabe declamar "Batatinha quando nasce"?

"Só pode ser um teste de memória", pensou Alice, e começou a declamar:

Batatinha quando nasce
Esparrama pelo chão.
A lagarta quando dorme
Põe a mão no coração.

— Não está certo — reclamou a Lagarta, bem ofendida. E deu outra longa baforada no seu narguilé.

Com certa paciência, Alice esperou que a Lagarta continuasse. E esta, com muita preguiça, acabou lhe dizendo que, se quisesse crescer, tinha de escolher um lado ou outro.

— Um lado ou outro do quê? — irritou-se novamente Alice.

— Um lado ou outro deste cogumelo, é óbvio — respondeu a Lagarta Azul.

"Ela é louca, não pode ser!", balbuciou a menina. (O cogumelo era completamente redondo. Como iria achar lados em algo redondo?) O que faria? Pensou e pensou. Então, abraçando o cogumelo com os dois braços bem abertos, resolveu arrancar um pedaço da borda com uma mão, e outro pedaço com a outra. "Qual pedaço mordo agora?", pensou a menina.

Pobre Alice! Mordiscou um pedacinho da mão direita e, num baque, encolheu tanto que o queixo foi parar no pé. Com muita dificuldade, pois mal conseguia abrir a boca no pé, mordeu um pedacinho da outra mão.

— Viva, acho que consegui equilibrar! — exclamou.

(Que nada.) O pescoço cresceu tanto, mas tanto, que ela nem enxergava do alto os próprios ombros. Esquisito, muito esquisito. Então, descobriu que podia mexer o longuíssimo pescoço como se fosse uma cobra, olhando para todos os lados.

Quando conseguiu curvar o pescoço para baixo, percebeu que o verde, lá embaixo, que parecia um tapete, era na verdade a copa das árvores.

– Que pescoço gigante... – ia dizendo para si, quando, de repente, uma pomba começou a gritar e bater com as asas no seu rosto:

– Fora, fora, sua cobra!

– Eu não sou cobra. De jeito nenhum – disse Alice, indignada. – E pare de me bicar.

– Não aguento mais vocês, suas cobras metidas! – lamentava a Pomba, quase chorando. – Já tentei de tudo, escondo aqui, escondo lá, levo o ninho cada vez mais alto, faço de tudo... e vocês vêm atrás. Estou muito cansada – continuou. – Além de chocar os ovos, ainda tenho de ficar acordada, vigiando! Faz três semanas que não prego o olho!

– Mas eu lhe digo, dona Pomba – Alice começa a entender a situação. – Não sou uma cobra, sou uma menininha.

– Há-há-há. Até parece que meninas têm esse pescoço tão comprido. Quer me enganar, acha que sou trouxa, sua cobra ardilosa? Vai me dizer agora que nunca provou um ovo na sua vida?

Alice, que era muito sincera, respondeu que, sim, tinha comido ovos de galinha, na omelete, mas não estava à procura de outros ovos.

– Mentirosa! – gritou a Pomba. – Se você come ovos, então é uma cobra.

Nesse momento, Alice chegou ao seu limite:

– Olhe, minha senhora. Eu não sou uma cobra, sou uma menina. E, se eu quisesse comer ovos, nunca seriam os seus, porque eu detesto ovos crus...

Muito chateada, Alice se enfiou no meio do mato, enroscando o pescoço aqui e acolá. Esperta como era, foi mordiscando um pedacinho do cogumelo de cada mão, até conseguir (finalmente) chegar ao seu próprio tamanho.

– Que bom! – exclamou. – Faz tanto tempo que não tenho meu tamanho certo. (Eram tantas mudanças que demorou um pouco para se acostumar com o próprio corpo, afinal de contas.)

Foi andando até que, em um clarão da floresta, viu uma casinha de um metro de altura. Como ia entrar, se agora, sendo normal, era grande para aquela porta? "Ah! Já sei", pensou. E foi mordendo novos pedacinhos do cogumelo de cada mão, até que ficou exatamente com vinte e dois centímetros de altura.

6 Muita pimenta e um porco

Quando se aproximou da casa, um criado (vestido a caráter e de peruca) bateu à porta com os nós dos dedos. Tinha uma estranha cara de peixe. Outro criado, este com cara de sapo, também de peruca encaracolada, abriu a porta, e o primeiro, entregando-lhe um enorme envelope, declarou:

– Da Rainha. Sua Majestade está convidando a Duquesa para um jogo de croqué.

O Criado-Sapo pegou o envelope e curvou-se para fazer uma mesura de agradecimento. Como o Criado-Peixe se inclinou ao mesmo tempo, as cabeças bateram, e as duas perucas se enroscaram...

Alice, que observava escondida, começou a rir, e ria tanto que teve de correr para longe, tapando a própria boca com a mão. Logo depois, voltou, e então bateu à porta. O Criado-Sapo disse a ela:

– Ó, menina, não adianta bater, porque, como vê, estou do lado de fora. E, depois, há tanto barulho lá dentro que ninguém vai ouvi-la.

– Então, como faço para entrar aí? – perguntou Alice.

– Só seria possível se eu estivesse lá e abrisse a porta, concorda? Só que eu vou ficar aqui fora por dias. Aliás, por que deseja entrar?

Alice já estava cansada de tanto ouvir aquelas criaturas doidas. (Ou ficavam ofendidas por nada, ou eram malcriadas e atrevidas.) Então, abriu a porta e entrou. "Que bagunça... E que cheiro de pimenta", pensou, já espirrando.

A Duquesa, sentada num banquinho, ninava uma criança, enquanto a cozinheira, no fogão, mexia um grande caldeirão de sopa. No ar, muita e muita pimenta. O bebê (tinha um focinho de porco) e a Duquesa espirravam muito. Só a cozinheira e um grande gato, sentado em cima do forno, não espirravam. Ele tinha um sorriso esquisitíssimo, cheio de dentes, que ia de orelha a orelha.

– Nunca vi um gato sorrir. Por que seu gato sorri? – perguntou Alice, muito educada, à Duquesa.

– Porque é um Gato inglês que sorri. E ponto final! – respondeu a Duquesa, contrariada. E emendou:

– Se cada um cuidasse da própria vida, o mundo giraria mais rápido.

Já irritada com essa Duquesa, tão feia e malcriada, Alice contestou:

– Se o mundo girasse mais rápido, os dias e as noites iam ficar bem mais curtos, a senhora não concorda?

– Com corda, não. Com machado: cortem a cabeça desta menina com um machado. Mas, antes, mocinha, pegue aqui! Cuide deste bebê que eu vou jogar croqué com a Rainha.

"Nossa", pensou Alice, pegando o bebê, "como trata mal esta criança". (Notou que ele tinha nariz de porco e orelhas muito esquisitas...) Tentou segurá-lo, mas ele roncava e esperneava, então ela percebeu que ele era um porco, na verdade. Ele pulou de seu colo e se enfiou no meio do mato.

"Puxa", pensou, então, mais aliviada, "se fosse um bebê, seria mesmo muito feio, mas, como porquinho, até que era bonitinho... Será que bebês ficariam bem virando porquinhos?"

Quando pensou em se dar outra bronca ("Quanta besteira, Alice!"), viu o Gato Sorridente pendurado em uma árvore. Seu sorriso era enorme, cheio de dentes. Embora parecesse amigável, a garota achou que deveria ter cuidado com ele. Por isso perguntou gentilmente:

– Senhor Gato Sorridente, por favor, como faço para sair daqui?

– Depende do lugar para onde quer ir – ele respondeu amável.

– Ah, qualquer lugar serve – respondeu Alice, um tanto ansiosa.

– Ué, se não sabe para onde quer ir, qualquer caminho serve.

– Mas eu quero chegar a algum lugar.

– Isso é claro. Se você andar bastante, na hora em que parar de andar, terá chegado a algum lugar.

Quando Alice ia arriscar outra pergunta, o Gato falou:

– Lá para a direita, mora um chapeleiro.

E, apontando com a pata esquerda:

– Do outro lado, mora a Lebre Maluca. Pode visitá-los, mas já vou avisando, menina: os dois são loucos.

– Não, eu não quero mais encontrar essa gente maluca.

– Isso é impossível, menina. Aqui todos somos loucos. Eu sou louco, e você também é. Pode ter certeza.

– Como é que pode saber se sou louca?

Nesse momento, o Gato com seu sorriso sumiu. De repente, porém, reapareceu:

– Se você está aqui, só pode ser louca. E eu – continuou ele – sou louco porque, ao contrário dos outros gatos, quando estou alegre, eu rosno com os dentes; e quando estou bravo, eu ronrono bem macio. Aliás, por que você não vai jogar croqué com a Rainha? Eu estarei lá.

E desapareceu novamente. De repente, voltou, e Alice reagiu:

– Por favor, pare com isso, senhor Gato! Eu fico com tontura com esse aparece--desaparece a todo instante.

O Gato então foi sumindo, agora bem devagar, desde o rabo, até que no escuro ficou apenas o seu sorriso. "Nossa, se acabo de conhecer um gato sorridente, nunca tinha visto um sorriso sem um gato", pensou a menina.

Então, Alice resolveu ir visitar a Lebre Maluca. Será que ela era louca mesmo? (Ouvira dizer que, principalmente nos meses de março, algumas lebres ficavam doidinhas. E já era abril.)

7 Um chá muito maluco

Não havia dúvidas, aquela era a casa da Lebre Maluca. As enormes chaminés do telhado tinham forma de orelhas, e o teto era todo peludo. Alice resolveu comer mais um pedacinho do cogumelo para crescer um tiquinho (estava com um pouco de medo do que estava por acontecer).

Do lado de fora da casa, sob as árvores, estavam a Lebre Maluca e o Chapeleiro à mesa tomando chá. Os dois conversavam, apoiando os cotovelos em uma marmota, muito peluda, que dormia profundamente no meio dos dois. A mesa era enorme, cheia de louças e xícaras, porém os três estavam apertados em um canto. Quando viram Alice, os dois gritaram juntos:

– Não tem mais lugar. Não tem mais lugar.

– Como não tem lugar?! – esbravejou Alice. – Estou vendo lugar de sobra.

E sentou-se à cabeceira.

– Então, tome uma taça de suco – convidou a Lebre, com voz fina.

– Não estou vendo nenhum suco – respondeu Alice.

– É porque não tem suco nenhum – completou a Lebre Maluca. – De qualquer forma, você se sentou aqui sem ser convidada.

– Por acaso a mesa é sua? – perguntou Alice, irritada com a falta de educação. – Está cheia de lugares...

Nesse momento, o Chapeleiro, que observava Alice, declarou:

– Você precisa cortar o cabelo, está muito feio.

Alice, então, ficou furiosa:

– Que falta de educação a sua, senhor Chapeleiro. Não se deve fazer comentários pessoais, já ensinava minha avó.

Ele, indiferente, olhou para ela novamente e perguntou:

– Você sabe a diferença entre um corvo e uma escrivaninha?

"Oba", pensou a menina. "Vai ficar divertido." (Ela gostava muito de jogos de adivinhar.) E começou a pensar na resposta quando o Chapeleiro emendou outra pergunta (enquanto tentava, nervosamente, dar corda em seu relógio de bolso):

– Que dia do mês é hoje?

– Acho que é dia 4 – respondeu Alice.

– Puxa, meu relógio está dois dias atrasado.

E emendou:

– Não falei para você, Lebre, que manteiga não ia lubrificar o mecanismo deste relógio? Eu sabia!

– Puxa, deve ter caído algum farelo de pão – concluiu a Lebre Maluca.

Curiosa, Alice olhou bem para o relógio.

– Que esquisito – disse ela. – Seu relógio marca o mês, mas não marca as horas.

– E daí, garota? – respondeu ele, bastante ofendido. – Por acaso, o seu relógio marca o ano em que estamos?

– Claro que não – ela respondeu na hora. – É porque o ano demora muito para mudar e nem cabe num relógio.

– Está vendo? É isso o que acontece com o meu relógio.

Sem dúvida, estavam falando a mesma língua, mas Alice não entendia a lógica da comparação absurda. Então, o Chapeleiro insistiu:

– Já decifrou o enigma?

– Não – respondeu Alice, chateada. – Desisto. Qual é a resposta?

– Não tenho a menor ideia – disse o Chapeleiro, tranquilamente.

– Nem eu – emendou a Lebre Maluca. E, dirigindo-se a Alice, falou:

– Tome mais um chá – convidou gentilmente.

– Como posso tomar "mais" um chá, se ainda não tomei nenhum? – implicou Alice, que começava a cansar-se de tanta maluquice.

– Você pode tomar "menos" um chá. Isso é que é difícil. Tomar "mais" um chá é melhor do que tomar chá nenhum.

Alice suspirou ao ouvir tanta besteira. E começaram a falar sobre o tempo. O Chapeleiro lhe contou que brigara com o tempo e, por isso, seu relógio havia parado.

Desde então, marcava sempre cinco horas – hora do chá. Finalmente, Alice entendeu por que havia tanta louça de chá naquela mesa: todas as horas eram a hora do chá.

– Isso mesmo – disse o Chapeleiro. – É sempre hora do chá. E, nos intervalos, não dá tempo de lavar a louça.

– É por isso que vocês ficam sentando cada vez em um lugar? Para começarem outra vez o chá?

– Sim, sim.

– E o que vai acontecer quando vocês dois derem a volta toda na mesa e os lugares limpos acabarem?

– Mudemos de assunto – disse o Chapeleiro. – A Marmota vai contar uma história. (E a beliscou para ela acordar.)

Então, a dorminhoca começou a contar a história de três irmãs.

– Conte rápido, antes que você adormeça outra vez! – gritou a Lebre.

– Era uma vez três irmãs que viviam no fundo de um poço de melado... Todos os dias, elas tiravam melado do poço...

– Isso não faz sentido – interrompeu Alice. – Como podem viver dentro de um poço de melado e tirar melado do poço como se estivessem fora dele?

– Não me interrompa – disse a Marmota. (Ela já estava quase dormindo outra vez, quando deu a bronca.)

– Eu não acho que... – continuou Alice.

– Se não acha nada, não deveria falar nada – interrompeu o Chapeleiro.

"Não, não. Isso já é demais", pensou Alice com seus botões. Todos eles são malucos e grosseiros. Assim, resolveu ir embora imediatamente. "Nunca estive num chá tão maluco. Nunca mais voltarei aqui", murmurou para si mesma.

Em seguida, levantou-se e, quando olhou para trás, viu que o Chapeleiro e a Lebre Maluca estavam tentando enfiar a Marmota dentro do bule de chá. "Argh", pensou a menina, balançando a cabeça.

Foi nessa hora que viu uma árvore com uma portinha que abria para dentro. "Oba", pensou, e mordeu um pedacinho do cogumelo (o da mão direita...) que a fez encolher um pouquinho, abriu a porta que dava para o jardim e (finalmente) chegou a um lindo lugar, cheio de flores, pássaros e bonitas fontes de água fresca.

8 O campo de croqué da Rainha

Logo na entrada do jardim, viu uma enorme roseira com rosas brancas. Havia três jardineiros, bem magros, que estavam ocupadíssimos, pintando todas as flores de vermelho. Para variar, Alice achou aquilo muito estranho. Ela aproximou-se e ouviu uma conversa:

– Pare de espirrar tinta em mim, Cinco!

– Desculpe – respondeu o Cinco. – É que o Sete me deu uma cotovelada.

– Muito bem, Cinco, continue com essa mania de jogar a culpa de tudo nos outros – irritou-se o Sete.

– É melhor você calar a boca, Sete. Ontem mesmo, eu ouvi a Rainha dizer que você logo será decapitado.

– Por que ela diria isso? – perguntou o Dois (aquele que tinha reclamado da tinta).

– Não é da sua conta, Dois – respondeu o Sete, irritado.

– Mas eu vou contar! É que o Sete, em vez de levar cebolas, enganou-se e levou bulbos de tulipas para a cozinheira. (Já pensou, que tolo?)

Alice foi chegando mais perto, e eles a viram. Fizeram uma longa reverência e ela, curiosa, já foi perguntando:

– Importam-se de me dizer por que estão pintando todas as rosas de vermelho?

– Pois não, Excelência – respondeu-lhe o Dois. – É que deveríamos ter plantado rosas vermelhas, mas, por engano, plantamos brancas. Se a Rainha descobrir, vai nos decapitar imediatamente.

O Cinco, então, sussurrou, nervoso:

– A Rainha! A Rainha está vindo.

Os três deitaram de bruços imediatamente, com o rosto no chão, mas Alice, que estava intrigada demais, esticou o pescoço para ver a Rainha.

Era um cortejo. À frente da Rainha, vinham os soldados. Curiosamente, tinham o mesmo formato retangular, alongado e achatado dos jardineiros (como cartas de baralho). Suas mãos e pés eram finos e saíam pelos lados do corpo. Aquilo era realmente esquisito.

Depois deles, vinham dez cortesãos enfeitados com losangos vermelhos, que andavam de dois em dois, como fazem os soldados. Em seguida, caminhavam os infantes reais, que também eram dez e estavam enfeitados com corações vermelhos (como o naipe de copas). A seguir, vinham os outros reis e rainhas do baralho e demais convidados. E não é que entre eles Alice reconheceu o Coelho Branco? Depois passou o Valete de Copas trazendo a coroa do Rei numa almofada vermelha. E, finalmente, ao fim do cortejo, lá vinham o Rei e a Rainha de Copas.

Alice estava se perguntando se deveria deitar-se com a cara no chão, como fizeram os jardineiros. Mas nunca ouvira falar de um cortejo diante do qual o povo tivesse de ficar deitado de bruços. "Seria ridículo", ponderou consigo, "porque ninguém conseguiria enxergar quem estivesse desfilando". Ao passar por onde estava Alice, a Rainha a viu e perguntou para um soldado:

– Quem é esta?

Como ele não sabia quem Alice era, não respondeu nada (e ficou tudo por isso mesmo). A Rainha então olhou a garota e disse:

– Qual é o seu nome, menina?

Fazendo uma longa reverência, Alice respondeu:

– Meu nome é Alice, para servir a Vossa Majestade. (Por dentro, ela pensou que não deveria ter medo deles: eram apenas cartas de baralho.)

– E quem são estes aí, de bruços? – perguntou-lhe a Rainha, apontando para os três jardineiros, deitados e imóveis.

– Sei lá – respondeu Alice, malcriada. – Como é que eu vou saber?

A Rainha, chocada com o atrevimento da resposta, deu uma ordem aos gritos:

– Cortem a cabeça dela imediatamente!

– Que absurdo, toda hora manda cortar a cabeça de alguém!

Muito irritada com o atrevimento da menina, a Rainha assim ordenou:

– Agora virem estes três de barriga para cima.

Os jardineiros, então, desvirados e de pé, fizeram muitas mesuras para ela.

– Quero saber o que estavam fazendo perto das minhas roseiras. Falem agora!

Como os três, gelados de medo, estavam mudos, a Rainha, sem saber o que fazer, ordenou furiosa:

– Cortem também a cabeça desses três!

– Não, vocês não vão ser decapitados – interveio Alice – e os escondeu rapidamente atrás de uns arbustos.

Os pobres soldados da Rainha procuraram os jardineiros por um ou dois minutos e, como não os acharam, puseram-se a novamente marchar no cortejo.

– Eles já foram decapitados? – esbravejou a Rainha.

– Sim, Majestade, as cabeças rolaram para agradá-la.

– Ótimo! – respondeu, satisfeita, a Rainha de Copas.

E, olhando para Alice, já um tanto longe, gritou:

– Sabe jogar croqué?

– Sei, sim – Alice gritou de volta.

– Então, junte-se a nós.

Assim, Alice seguiu com o cortejo, pensando na próxima esquisitice que veria, quando reconheceu uma vozinha fina:

– Que lindo dia!

Era o Coelho Branco, que a olhava um pouco aflito.

– Lindo mesmo – Alice concordou. – E onde está a Duquesa?

– Pssiu... – sussurrou o Coelho Branco. – Ela foi condenada à morte.

– Nossa! Por que a pena de morte?

– Pois é. Eu também estou com pena dela.

– Não, não, eu não disse que estou com pena, eu perguntei por que ela recebeu a pena de morte.

Nervoso, o Coelho soprou mais perto do ouvido de Alice:

– É que a Duquesa deu um sopapo na orelha da Rainha.

Desta vez, Alice não aguentou. Começou a rir alto; e o Coelho, desesperado, só repetia, com o dedo da pata na boca:

– Pssiu... Pssiu... a Rainha vai ouvir.

Nesse momento, ouviram:

– Todos aos seus lugares! – ordenou a Rainha, com voz de trovão.

Foi um corre-corre em todas as direções. Uns tropeçavam nos outros, os demais corriam e derrubavam as outras cartas. Até que, quando cada um estava no seu lugar, o jogo começou.

De fato, a menina nunca tinha visto um campo de croqué tão estranho, com tantos buracos e montinhos. As bolas não eram bolas, eram ouriços vivos; os tacos eram flamingos (também vivos) e os aros (por onde deveriam passar as bolas) eram soldados, que colocavam os pés e as mãos no chão.

Alice gargalhou por dentro, porque teria de acertar um ouriço com um flamingo. O que ela pegara, porém, se mexia o tempo todo e levantava a cabeça para olhar para ela. Todos os ouriços saíam andando, fugindo dos outros jogadores e dos flamingos; e os soldados, de quatro, levantavam-se a toda hora. Por isso, era quase impossível acertar as tacadas. Pior: a Rainha, andando pra lá e pra cá, gritava o tempo todo "Cortem a cabeça dele!", "Cortem a cabeça dela!".

Alice chegou à conclusão de que aquele era um jogo muito difícil. Ou muito maluco mesmo. Estava tentando escapar, quando viu uma aparição brilhando no ar: era um sorriso sem rosto. Ficou intrigada, mas logo identificou quem estava aparecendo. "O Gato Sorridente", murmurou. "Agora tenho com quem conversar."

Mas não deu certo. Mal começaram a falar, apareceu o Rei, que não gostou nadinha daquele gato sem corpo. Chamou a Rainha, que, olhando aquela cabeça de gato, também não gostou e deu sua ordem preferida:

– Cortem a cabeça dele!

Então, mandaram imediatamente chamar o Carrasco para a execução. Ao chegar, o Carrasco declarou que não poderia cortar a cabeça sem que houvesse um corpo junto (em sua longa carreira, nunca tinha executado tal trabalho; por isso estava se sentindo muito ofendido com a tarefa). O Rei, por sua vez, argumentava que, havendo cabeça, ela poderia ser cortada, e o resto era bobeira. A Rainha (sempre aos berros) decidiu que, se o impasse não fosse resolvido logo, mandaria cortar a cabeça de todo mundo.

Foi aí que Alice, muito sensata, sugeriu:

– O gato pertence à Duquesa. Por que não perguntam a ela?

– Ela está na masmorra – disse o Carrasco.

– Pois traga a Duquesa aqui, agora! – esbravejou a Rainha.

O Carrasco saiu em disparada, enquanto a cabeça do Gato ia sumindo, sumindo, sumindo – até que sumiu completamente. Quando a Duquesa chegou com o Carrasco, procuraram o Gato, ou a cabeça, ou mesmo o sorriso. Como nada encontraram, voltaram todos ao jogo.

9 A história da Falsa Tartaruga

– É um prazer vê-la novamente, minha querida – disse a Duquesa, toda gentil, dando o braço para Alice.

"Afinal, será que ela é simpática e foi apenas a pimenta que a deixou tão furiosa?", pensou a menina. "Quando eu for Duquesa" (o que seria um tanto difícil), continuou pensando, "não vou permitir que se façam sopas com pimenta, pois isso deixa as pessoas nervosas, nem com vinagre, que deixa as pessoas azedas, nem com mostarda, que deixa as pessoas ardidas…"

Distraída, pensando nas ordens que daria, ouviu a voz da Duquesa bem perto dela. (Alice acha a Duquesa muito feia e sua voz muito grossa…)

– Sabia que tudo que acontece tem uma moral da história?

Alice não pôde concordar e respondeu:

– Duquesa, desculpe, mas nem tudo tem moral da história.

– Claro que tem. Por exemplo, a moral desta nossa conversa é que "sempre há uma moral da história nas histórias".

Alice achou aquela frase completamente sem sentido. Pior, não estava gostando nada da proximidade excessiva da Duquesa. Primeiro porque, como Alice havia dito, ela era muito feia; depois, porque, sendo um pouco mais alta que Alice, falava apoiando o queixo no ombro da menina. Para não ser grosseira, tentou disfarçar:

– O jogo parece estar bom agora, não?

A Duquesa então respondeu:

– Sabe qual é a moral deste jogo? "Quanto mais se joga, mais se joga."

"Ai, ai, ai", pensou Alice. "Mais uma maluca neste mundo cheio de doidos."

A Duquesa prosseguiu, olhando o taco (quer dizer, o flamingo) que Alice segurava com força (ele queria fugir):

– Um flamingo bica e a pimenta pica, não acha? Por isso, a moral desta história é: "Aves da mesma plumagem voam juntas".

– Mas pimenta não é uma ave, é um vegetal – corrigiu Alice.

54

– Ah, é mesmo, você tem razão. Então, a moral desta história é: "Você pode ser o que quiser, desde que não seja o que não é".

Já muito cansada de tanta bobagem, do bafo e do queixo da Duquesa no seu ombro, Alice viu uma sombra aproximar-se. Era a Rainha, o que deixou a Duquesa congelada de medo.

– Suma daqui agora mesmo, Duquesa, ou o que vai sumir do seu corpo é a sua cabeça. Vim buscar a menina para ver a Falsa Tartaruga.

A Duquesa saiu às pressas (é claro que preferiu levar o corpo todo), na hora em que Alice perguntava:

– O que é uma Falsa Tartaruga, Majestade?

– Ora, ora. Você não sabe? É o principal ingrediente da Sopa de Falsa Tartaruga – explicou a Rainha.

(Uma vez, Alice ouvira uma cozinheira dizer que "Sopa de Falsa Tartaruga" era uma sopa de carne, mas não entendeu bem o que afirmava a Rainha.)

E esta, berrando, chamou:

– Grifo, venha cá imediatamente! Leve esta senhorita para ver a Falsa Tartaruga, que vai lhe contar a sua própria história. Eu agora preciso averiguar se estão fazendo as execuções que ordenei.

Ao ouvir aquilo, Alice ficou bem intranquila quanto às terríveis execuções, mas também ao que viria a seguir, pois sabia muito bem (pelos livros de leitura) o que era um **grifo**: uma criatura bem feia, com asas de águia e corpo de leão.

Quando a Rainha se afastou, o Grifo riu debochado.

– Do que está rindo? – perguntou a menina.

– Estou rindo dela – respondeu, apontando a Rainha. – É tudo imaginação dela. **Nunca** ninguém foi executado neste reino. Agora, vamos!

Alice ficou muito mais tranquila com tal informação, mas não deixou de notar que **até** aquele horrível grifo lhe dava ordens. (Que coisa...)

E a poucos metros deles lá estava uma tartaruga muito triste, com olhos marejados de lágrimas, que parecia sofrer muito.

– O que ela tem? – Alice perguntou baixinho ao Grifo.

Ele, com desprezo, respondeu:

– Nada, nada; é tudo imaginação dela...

E, fixando o olhar na Falsa Tartaruga, disse, autoritário:

– Esta senhorita quer conhecer sua história.

– Certo, eu vou lhe contar... – soluçou a Tartaruga, e começou a falar entre uma e outra fungada de choro.

– Houve um tempo em que eu era uma Tartaruga de verdade. E todas nós tivemos uma educação primorosa. Íamos à escola lá no fundo do mar **todos os dias.**

– Ué, e daí? Eu também vou à escola todos os dias – interrompeu Alice.

A Falsa Tartaruga, entre suspiros, indagou:

– Mas, por acaso, na sua escola tem aulas extras? Nós tínhamos aulas extras de Francês e Música – orgulhou-se a Tartaruga.

Alice ponderou consigo qual seria a utilidade dessas duas disciplinas no fundo do mar. Querendo, entretanto, ser simpática, tentou ampliar o assunto:

– E quantas horas de aula tinham por dia?

– No primeiro dia, dez horas; no segundo dia, nove horas; oito horas no terceiro, e assim por diante. Quanto mais progredíamos, mais curto ficava o dia seguinte.

"Que interessante", pensou Alice, "bem que minha escola poderia adotar esse método". E, tentando entender melhor:

– Quer dizer que no décimo primeiro dia não havia aulas?

– Exatamente! – suspirou a Falsa Tartaruga.

– E no décimo segundo dia, o que vocês faziam?

(Silêncio.)

– Agora chega das aulas, conte para ela sobre as brincadeiras – ordenou o Grifo, até então em silêncio.

10 A Dança das Lagostas

A Falsa Tartaruga deu um longo suspiro, enxugou uma lágrima com as costas da pata e continuou:

– Talvez você não tenha vivido muito tempo no fundo do mar...

Alice respondeu que nunca tinha vivido no mar.

– Então, talvez nunca tenha sido apresentada a uma lagosta...

Alice ia responder que já havia comido lagosta (uma delícia), porém resolveu responder apenas:

– Não, nunca fui apresentada a nenhuma lagosta.

– Então, não pode nem imaginar que coisa deliciosa é a Dança das Lagostas...

– Não posso imaginar. Que dança é essa?

– É ótima – lembrou a Falsa Tartaruga. – Arma-se uma fila na areia com tartarugas, focas, sardinhas e assim por diante; depois de remover todas as águas-vivas (o que demora, pois elas ficam grudadas!), cada dançarino dá um passo à frente e faz par com uma das lagostas.

– Dá mais dois passos e troca de lagosta, como nas danças da Rainha... – completou o Grifo.

– E, então – prosseguiu a Falsa Tartaruga –, então... o dançarino arremessa a lagosta no mar e nada rapidamente atrás dela. E depois volta para pegar outra lagosta, fazendo uma nova troca de par.

– Dá pra dançar sem lagostas. Quer ver? – animou-se o Grifo.

Alice quase disse "Não, por favor", mas era educada e esperou até que ambos parassem de dançar e cantar uma canção que falava de pescadas.

– Obrigada, gostei muito – disse ela, aliviada pelo fim daquele estranho espetáculo. – Apreciei muito a canção sobre as pescadas.

– E você já viu uma pescada?

– Sim, elas são cobertas de farinha de rosca, sempre fazem parte do jant... – ia dizendo Alice.

– "Jant..."? Onde fica esse lugar, é perto daqui? – perguntou curioso o Grifo.

Para sorte de Alice, a Falsa Tartaruga emendou:

– Errado. As pescadas não usam farinha de rosca. No fundo do mar, a farinha ia derreter, sua tola.

Alice preferiu calar-se e o Grifo então lhe pediu para contar a sua história. Voltando a si, a menina, então, disse:

– Posso contar quem eu sou hoje, porque ontem eu era outra Alice.

– Como é que é? Explique isso – o Grifo pediu.

A Falsa Tartaruga interrompeu:

– Não queremos explicações, queremos aventuras.

Então, Alice lhes contou desde o momento em que viu o apressado Coelho Branco, passou pelo episódio da Lagarta Azul, do Rato na Lagoa, contou do Gato Sorridente, do Chapeleiro, da Lebre Maluca, enquanto eles exclamavam:

– Que curioso!

– Recite alguma coisa – ordenou o Grifo a Alice.

Ela, então, resolveu inventar:

Lagostinha quando nasce
esparrama no fundão
A pescada quando dorme
Tira a cauda do arrastão!

– Isso é um absurdo, a letra da poesia não é essa! – gritava a Falsa Tartaruga.

Então, exigiram que Alice cantasse alguma coisa. Confusa, prosseguiu:

O melro brigou com a morsa
Debaixo de uma cascata
O melro ficou doente
E a morsa caiu deitada.

– Isto é um absurdo, você não acerta nada, menina... – lamentou a Falsa Tartaruga, que resolveu cantar a canção da sopa.

Quando ia começar, alguém gritou:

– O julgamento vai começar!

– Vamos, vamos, vai começar o julgamento – disse o Grifo, puxando Alice.

– Que julgamento é esse? – perguntou Alice, quase sem fôlego.

11 Quem roubou as tortas?

Quando chegaram, o Rei e a Rainha de Copas estavam sentados em seus respectivos tronos. Havia grande multidão ao redor: pássaros, outros bichos e todo o baralho reunido. O Valete estava acorrentado, em meio a dois soldados. E o Coelho Branco estava ao lado da Rainha, com uma trombeta na mão e um rolo de pergaminho na outra. No centro do tribunal, havia uma mesa com várias tortas, que pareciam muito apetitosas.

Só de olhar, Alice ficou com água na boca. "Tomara que o julgamento acabe logo, para servirem esse lanche", pensou ela (o que parecia pouco provável, é claro).

Para enganar a fome, passou a observar o lugar e lembrou que lera algumas histórias de tribunais e sabia o nome de quase todos os seus componentes. Relembrou para si mesma: "Aquele é o Juiz, claro, com essa peruca branca enorme". Ocorre que o Juiz era o próprio Rei, que usava sua coroa sobre a enorme peruca (isso não lhe caía muito bem e a figura ficava um pouco estranha).

Alice percebeu que no banco dos jurados havia doze criaturas: alguns eram peixes, outros eram pássaros ou répteis. Formavam o "Corpo dos Doze Jurados", repetia ela (Alice gostava de exibir seus conhecimentos para si mesma).

Notou logo que as criaturas escreviam, nervosamente, numa lousa. Achou aquilo estranho e perguntou para o Grifo:

– Que tanto eles escrevem na lousa se o julgamento nem começou?

– Ora, estão escrevendo os próprios nomes, porque têm medo de esquecer como se chamam até o fim do julgamento.

– Que absurdo! – exclamou Alice em voz alta. Mas calou-se logo depois, porque o Coelho Branco gritou:

– Silêncio na corte!

Olhando por trás do júri, Alice viu que os jurados tentavam escrever sua frase "que absurdo" em suas lousas. Um deles, aliás, não sabia escrever "ab-sur-do" e precisou perguntar para o vizinho.

Um outro jurado (era Bill, o Lagarto) usava um giz que rangia fininho na lousa. Alice não suportou ouvir aquele barulho horrível. Então, chegou por trás e rapidamente lhe surrupiou o giz. O pobre Bill procurou, procurou, e, como não achou o giz, foi obrigado a escrever com o dedo. (O que, é claro, não deu certo, porque nada ficava escrito na lousa.)

– Arauto, leia a acusação! – bradou o Rei.

Nesse momento, o Coelho Branco deu três sopradas na corneta, desenrolou o pergaminho e leu:

Num dia de sol,
A Rainha de Copas
Assou várias tortas.

O Valete atrevido
Roubou todas elas
E fugiu sem ruído.

– Chamem a primeira testemunha – bradou o Rei.

Alice viu que era o Chapeleiro Maluco. Como ele estava com uma xícara de chá em uma mão e um pedaço de pão com manteiga na outra, desculpou-se com o Rei:

– Peço imensas desculpas, Majestade. Quando fui convocado para depor, não tive tempo de acabar o meu chá.

– Pois deveria ter terminado. Quando foi que começou? – inquiriu o Rei.

– Creio que foi em 14 de março, Excelência.

– Não, não – gritou a Lebre Maluca, que o tinha acompanhado. – Nada disso! Foi no dia 15 de março.

– Não, foi no dia 16 – respondeu a Marmota, que também estava com eles.

– Anotem isso – bradou o Rei Juiz.

E os jurados todos anotaram as três datas e resolveram somar e dividir por três (o que para alguns dava o resultado 15; para outros, 17; para outros, apenas 2).

– Tire o seu chapéu – gritou o Rei.

– Ele não é meu, Majestade.

– Então, é roubado! – bradou o Rei.

– Nenhum dos chapéus é meu porque são para vender: eu sou chapeleiro.

– Então, preste seu depoimento com ou sem medo. Senão mando executá-lo já.

Isso não ajudou em nada o Chapeleiro, que, de tão nervoso, mordeu um pedaço da xícara em vez do pão com manteiga da outra mão.

Alice ia rir do Chapeleiro quando sentiu algo esquisito. Não é que estava crescendo novamente? Seria melhor sair do Tribunal? Não, era melhor ficar enquanto seu tamanho permitisse.

– Ai, você está me apertando – resmungou a Marmota, que estava a seu lado.

– Ah, não posso fazer nada, é que estou crescendo... – desculpou-se Alice.

– Mas você não tem o direito de crescer aqui dentro do recinto – respondeu a Marmota, que foi sentar-se do outro lado, onde pegou no sono.

Durante todo esse tempo, a Rainha olhava fixamente para o Chapeleiro, que tremia tanto, que pulava de um pé para o outro.

– Sou um pobre coitado... Sem tirar nem pôr – balbuciava ele.

– O quê? A chaleira faz vapor? Acha que sou burro? Ora, toda chaleira faz vapor... – gritava o Rei.

(Silêncio.)

– Você é um inútil. Pode ir embora. – E, olhando para os soldados, o Rei ordenou em voz mais baixa:

– Cortem a cabeça dele lá fora.

O Chapeleiro saiu correndo. E a próxima testemunha foi chamada. Era a Cozinheira da Duquesa.

– Dê o seu depoimento – bradou o Rei.

– Não dou! – respondeu a Cozinheira, toda suada.

– De que são feitas as tortas? – perguntou o Rei, ignorando a malcriação.

– De pimenta, é claro – respondeu a Cozinheira.

– De melado! – gritou a Marmota, acordando subitamente.

O Rei e a Rainha ficaram furiosos com aquela interrupção. Ordenaram que ela fosse expulsa do Tribunal.

– Arranquem seus bigodes! Cortem a cabeça dessa marmota – ordenava aos berros a Rainha.

– E chamem a próxima testemunha – bradou o Rei.

No meio da maior balbúrdia, o Coelho Branco lia e relia a lista de nomes no pergaminho, quando, de repente, com aquela vozinha fina, chamou:

– Alice!

 # O depoimento de Alice

– Estou aqui – apresentou-se Alice, surpresa. No entanto, ela se esquecera de quanto havia crescido nos últimos minutos, de modo que houve uma certa confusão. Ao levantar-se, varreu todos os jurados do banco (o Lagarto, o Ouriço, o Pato, a Cegonha e outros) com a barra da saia. E todos caíram de cabeça para baixo, no meio da audiência.

– Que prossiga o julgamento quando todos estiverem em seus lugares – bradou o Rei indignado.

– Oh, me perdoem – disse ela, constrangida, e começou a recolher todos, um por um, recolocando-os na bancada do júri novamente.

Na pressa, Bill, o Lagarto, foi colocado de cabeça para baixo. O coitado ficava só abanando a cauda, sem conseguir desvirar. Delicadamente, Alice o desvirou (pensando, porém, que, de cabeça para cima ou para baixo, ele não parecia ser muito útil naquele julgamento...).

Assim que se recuperaram do susto, os jurados conseguiram, com grande dificuldade, encontrar suas lousas e gizes e começaram a escrever (exceto Bill, que estava tão transtornado, que só conseguia olhar para o alto, com o olho parado).

– O que sabe sobre o caso? – inquiriu o Rei com voz muito alta.

– Nada – respondeu Alice.

– Nada? Nadinha?

– Nadinha – retornou Alice.

– Mas isto é importante – prosseguiu o Rei.

– "Desimportante", Majestade – sussurrou o Coelho.

– Desimportante, desimportante, desimportante – repetia o Rei.

Os jurados, que haviam escrito a palavra "importante", riscavam afobados, e escreviam "desimportante". E outra vez riscavam e rabiscavam suas lousas. ("Que absurdo", pensou Alice, que, do alto, conseguia ver tudo.)

Então, o Rei declarou:

– Regra 42: Quem tem mais de um quilômetro e meio de altura deve retirar-se imediatamente do Tribunal.

É claro que todos olharam para Alice. Já muito irritada, ela afirmou:

– Eu não meço tudo isso, não!

– Mede muito mais que isso – gritou a Rainha, olhando para cima.

– Seja como for, eu não vou sair, porque o Rei acabou de inventar essa regra.

Então, o Coelho Branco disse:

– Majestade, temos um fato novo: acabamos de apreender uma carta que nosso réu escreveu para alguém!

– Claro que foi para "alguém", pois escrever para ninguém é muito raro.

– A quem está endereçada? – quis saber o Rei.

– A ninguém – respondeu o Coelho.

– E está com a letra do réu?

– Não, não está! – completou solícito o Coelho.

– Já sei, ele deve ter imitado a letra de outra pessoa!

– Não escrevi nada, Majestade. Veja, não é a minha assinatura – gritou o Valete.

– Por que não leem os versos para analisar o que dizem? – perguntou Alice.

O Rei concordou e deu nova ordem ao Coelho, que perguntou:

– E por onde começo? – preocupou-se.

O Rei, então, muito sério, disse:

– Comece pelo começo, vá lendo e, quando chegar ao fim, pare.

O Coelho Branco leu os versos e ninguém entendeu nada. Então, o Rei declarou:

– Que o júri dê seu veredicto!

– Não, não, nada disso! – interrompeu a Rainha de Copas. – Primeiro a sentença, e só depois o veredicto.

– Que absurdo – exclamou Alice. – Como vão dar a sentença antes de se saber se o réu é culpado ou inocente?

– Cale-se agora! – gritou a Rainha, que já estava muito irritada. – Cortem a cabeça dela! Cortem a cabeça dela!

– Quem é que liga para você? – respondeu Alice, já no seu tamanho normal. – Afinal, vocês todos são apenas um pacote de baralho.

Nesse momento, todas as cartas do baralho voaram para cima dela. Eram, na verdade, várias folhas secas, que a irmã limpava da roupa de Alice.

– Acorde, Alice, acorde! Você dormiu um tempão.

Alice, então, percebeu que havia sonhado longamente. E contou à sua irmã tudo de que se lembrava dessas muitas aventuras que você acabou de ler.

– Vamos para casa – disse a irmã –, estamos atrasadas para o nosso chá.

Enquanto Alice corria para casa, naquele fim de dia de verão, sua irmã olhou para ela e ficou imaginando que, quando crescesse, Alice se tornaria uma mulher linda, e que manteria no coração a pureza da imaginação de sua vida de menina e que, no futuro, talvez pudesse contar para outras crianças as suas próprias aventuras naquele País das Maravilhas.

Lewis Carrol, o autor, chamava-se de fato Charles Lutwidge Dodgson. Ele nasceu em 1832 em Cheshire, na Inglaterra. Estudou em casa até os 12 anos e então foi para a Rugby School, em Warwickshire, e a seguir para o Christ Church College, em Oxford, onde cursou matemática. Quando se formou, passou a lecionar essa matéria na Universidade de Oxford. Lewis Carroll não teve filhos, mas contava histórias para os filhos de seus amigos, e as crianças adoravam ouvir os acontecimentos estranhos de Alice em um mundo mágico. A história original de Alice no País das Maravilhas foi publicada em 1865. O autor continuou a contar histórias até o fim da vida. Ele morreu em 1898, na casa da irmã, em Surrey, na Inglaterra.

Márcia Lígia Guidin, a tradutora, nasceu em São Paulo em 1950. É mestre e doutora em Letras pela USP, ensaísta e tradutora. É professora titular aposentada de Literatura Brasileira, Teoria Literária e Edição de Texto. Membro titular da Academia Paulista de Educação (cadeira 6), exerce na APE o cargo de Diretora de Comunicação. É autora de obras críticas de literatura, palestrante para as áreas de Educação e Literatura, e resenhista do *Jornal Rascunho*. Foi responsável pelo programa "Que tal seu português?" da Rádio USP, onde gravou mais de 100 miniaulas. Foi membro do Conselho Curador do Prêmio Jabuti da Câmara Brasileira do Livro por dez anos. Faz parte da Associação de Amigos e Patronos da Biblioteca Mário de Andrade. Atualmente dirige a Miró Editorial, que oferece assessoria e *coaching* para editores e escritores.

Mas um de seus trabalhos favoritos é traduzir e adaptar obras infantis e juvenis.